TOM MATHIAS
FFOTOGRAFFYDD BRO

TOM MATHIAS
FOLK-LIFE PHOTOGRAPHER

Tom Mathias (1866-1940)

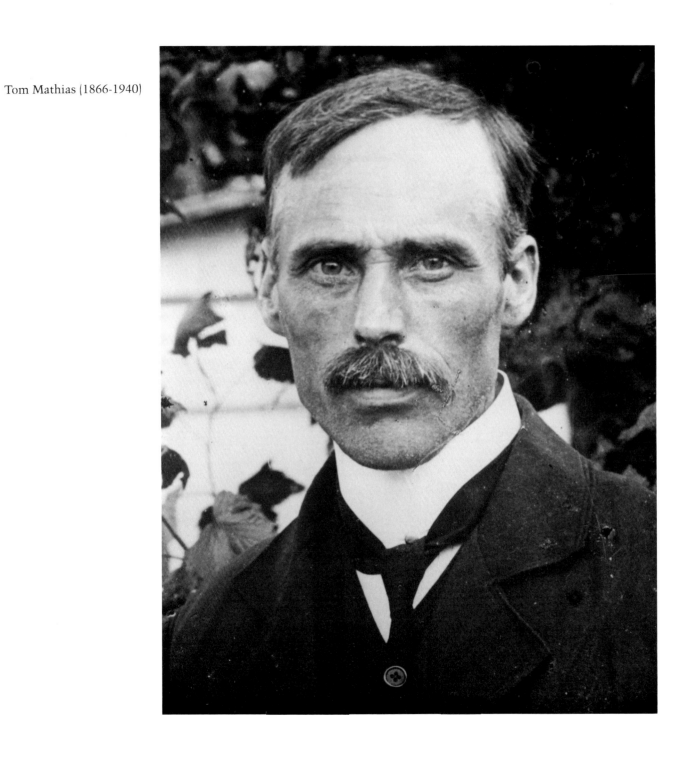

TOM MATHIAS

FFOTOGRAFFYDD BRO - FOLK LIFE PHOTOGRAPHER

JOHN WILLIAMS - DAVIES
AMGUEDDFA WERIN CYMRU
MUSEUM OF WELSH LIFE

GWASG GOMER / AMGUEDDFA GENEDLAETHOL CYMRU
GOMER PRESS / NATIONAL MUSEUM OF WALES

Cyhoeddwyd gyntaf 1995

ISBN 1 85902 220 0

Argraffwyd gan
J. D. Lewis a'i Feibion Cyf.,
Gwasg Gomer, Llandysul

First published 1995

ISBN 1 85902 220 0

Printed by
J. D. Lewis and Sons Ltd.,
Gomer Press, Llandysul

Cydnabyddiaethau

Hoffwn ddiolch o galon i Mrs Peggy Davis am yr hawl i atgynhyrchu'r lluniau sydd yn y llyfr hwn ac am ei chymorth a'i hanogaeth nid yn unig gyda'r gwaith o baratoi'r llyfr, ond hefyd wrth drefnu arddangosfa o'r lluniau yn Amgueddfa Werin Cymru, Sain Ffagan, dro'n ôl.

Ar ôl marw Maxi Davis, trosglwyddwyd y negyddion gwreiddiol o luniau Tom Mathias i ofal Adran Gwasanaethau Diwylliannol Cyngor Sir Dyfed. Dylid cyfeirio unrhyw ymholiadau ynglŷn â chopïau o'r lluniau atynt hwy yn Neuadd y Sir, Caerfyrddin.

Hefyd, hoffwn ddiolch i fy nghyd-weithwyr yn Amgueddfa Werin Cymru—Mrs S. Minwel Tibbott, Mrs Bethan Aur Lewis, Mr Tony Hadland a Miss Joy Bowen—a Mr Hywel Rees am eu cymorth a'u cyngor amhrisiadwy wrth baratoi'r llyfr hwn.

Acknowledgements

I am deeply indebted to Mrs Peggy Davis for her permission to reproduce the photographs which appear in this book, and also for her help and encouragement not only with the preparation of the book but also with the staging of an earlier exhibition of the photographs at the Welsh Folk Museum, St Fagans.

Following the untimely death of Maxi Davis, the negatives of the Tom Mathias collection were entrusted to the care of the Dyfed Cultural Services Department. All enquiries concerning copies of the photographs should be directed to them at the County Hall, Carmarthen.

I also wish to thank my colleagues at the Welsh Folk Museum—Mrs S. Minwel Tibbott, Mrs Bethan Aur Lewis, Mr Tony Hadland and Miss Joy Bowen—and Mr Hywel Rees for their invaluable help and advice throughout the preparation of this book.

Rhagarweiniad

Yn y llyfr hwn cyhoeddir casgliad rhyfeddol o luniau, gwaith dau ffotograffydd eithriadol o alluog, ond sydd yn hannu o gefndir tra gwahanol i'w gilydd. Ar y naill law, tynnwyd y lluniau gwreiddiol gan Tom Mathias, ffotograffydd cwbl ddihyfforddiant o ardal Cilgerran yn Nyfed. Tua throad y ganrif bu Mathias wrthi'n cofnodi bywyd beunyddiol trigolion y fro gan ddefnyddio offer syml y cyfnod. Ar ôl ei farwolaeth yn 1940 ni welwyd gwerth ei negyddion tan i'r ail ffotograffydd yn ein stori, James Maxwell (Maxi) Davis, eu darganfod ddeng mlynedd ar hugain yn ddiweddarach. Ni fedrai ei gefndir ef fel ffotograffydd fod yn fwy gwahanol i eiddo Mathias ei hun. Treuliodd y rhan fwyaf o'i yrfa broffesiynol fel Prif Ffotograffydd yng ngorsaf brofi rocedi'r Llu Awyr yn Aber-porth lle defnyddiai'r offer mwyaf soffistigedig posibl yn feunyddiol. Fel ffotograffydd, fodd bynnag, sylweddolodd fod gwerth i'r lluniau a dynnwyd gan Mathias a phenderfynodd ymgymryd â'r gwaith o'u diogelu a'u hadfer. Iddo ef mae'r diolch am achub lluniau Tom Mathias i'r cenedlaethau a ddêl. Cyflwynir y gyfrol hon er cof am Maxi Davis a fu farw ym mis Rhagfyr 1990.

Tom Mathias (1866-1940)

Ganed Tom Mathias ar 20 Tachwedd 1866 yn fab i forwr, James Mathias. Trigai'r teulu ym Mryndyfan, Pont-rhyd-y-ceirt, ger Cilgerran, ar lannau afon Teifi yn Nyfed. Collodd ei fam, Frances, tra oedd yn ifanc ac ailbriododd ei dad ag Elizabeth, merch oedd yn llawer iau nag ef, a phrin un mlynedd ar ddeg yn hŷn na Tom ei hun. Roedd yn un o bump o blant.

Ychydig iawn a wyddom am ei fywyd cynnar. Ni wyddom 'chwaith beth a ysgogodd ei ddiddordeb mewn ffotograffiaeth, gyrfa go annisgwyl i ŵr ifanc o'i gefndir ef. Er na chafodd unrhyw hyfforddiant yn y grefft, roedd yn ddigon hyderus o'i allu ei hun i hysbysebu ei wasanaeth fel ffotograffydd ac yntau'n ddim ond yn ei ugeiniau cynnar. Yn 1897 priododd â Louise Alice Paquier, merch o'r Swistir a oedd yn athrawes breifat i blant teulu'r Gower o Blas Castell Malgwyn. Ymgartrefodd y pâr ifanc ar ddyddyn Aberdyfan lle bu Tom yn ffermio yn ogystal â dilyn ei yrfa fel ffotograffydd.

Ganwyd iddynt ddau o blant, Frances Mattilda (Tilla) yn 1898 a James Henry yn 1902. Symudodd Tilla i fyw i Gilgerran ar ôl iddi briodi. Bu farw mewn cartref i'r henoed yng Ngheinewydd yn 1990 yn 91 mlwydd oed. Roedd ganddi un ferch o'r enw Nesta sydd bellach wedi ymgartrefu yn San Antonio, Texas. Gŵr dibriod oedd James ac arhosodd yng nghartre'r teulu ar hyd ei oes. Bu farw Tom Mathias yn 1940 yn 73 mlwydd oed ac fe'i claddwyd ym mynwent Capel Llwyn Adda, Llechryd. Goroesodd ei wraig ef am dros chwarter canrif a bu hi farw yn 1966 yn 93 mlwydd oed.

Yn ddiamau roedd Tom Mathias yn ŵr dawnus a thalentog a chanddo ddiddordebau eang. Roedd yn naturiaethwr o fri a'i wybodaeth o fywyd gwyllt yr ardal yn ddiguro. Roedd hefyd yn seryddwr brwdfrydig ac yn berchen ar delesgob seryddol—teclyn digon anghyffredin o gofio'r cyfnod a'r ardal. Ar lefel mwy ymarferol roedd ganddo gryn ddiddordeb mewn garddio, ac yn ôl traddodiad bu'n gyfrifol am wella ansawdd amryw fathau o goed afalau lleol. Roedd hefyd yn adnabyddus yn y fro fel gwenynwr. Ac erbyn diwedd ei oes, yr oedd wedi dechrau ymddiddori mewn arlunio, rhywbeth a ddatblygodd yn reddfol o gofio'r ddawn artistig a amlygir yn ei luniau.

Bu'n gapelwr selog gydol ei oes ac yn aelod blaenllaw gyda'r Methodistiaid Calfinaidd yng Nghapel Llwyn Adda, Llechryd. Bu'n gwasanaethu yno fel athro Ysgol Sul y plant am flynyddoedd maith. Yn wir, yn ôl yr hanes, roedd perthynas agos rhyngddo a phlant ac mae ei wyres, Nesta, yn sôn yn annwyl iawn amdano yn ei llythyrau wrth ddwyn atgofion am ei phlentyndod ei hunan.

Introduction

This remarkable collection of photographs represents the work of two exceptionally gifted photographers from different eras and from very different backgrounds. The original photographs were taken by Tom Mathias, a self-taught photographer who worked in the Cilgerran district of Dyfed, west Wales, around the turn of the century. Using the simplest of equipment Mathias recorded daily life in the locality of his birth with insight and an affection which permeates all his work. Following Mathias's death in 1940 his negatives were lost for over thirty years until they were discovered by the second individual in the story, James Maxwell (Maxi) Davis. As a photographer, Maxi Davis's background could not have been more different to that of Mathias. He had spent most of his professional life as the Chief Photographer at the Royal Aircraft Establishment's rocket testing station at nearby Aber-porth, where he was familiar with the most sophisticated photographic technology. As a fellow photographer, however, he instantly recognized and appreciated the underlying quality of Mathias's work and using all the skills he had accumulated over a long and distinguished career, he set about the task of conserving and restoring the photographs. It is thanks to his efforts that Tom Mathias's photographs have been saved for posterity. Sadly, Maxi Davis died in December 1990 and this book is dedicated to his memory.

Tom Mathias (1866-1940)

Thomas Mathias was born on 20 November 1866. His father, James, was a master mariner and the family lived at Bryndyfan in the hamlet of Pont-rhyd-y-ceirt, near Cilgerran, in the Teifi valley. Tom lost his mother, Frances, at an early age and his father subsequently married Elizabeth, a much younger woman who was only eleven years Tom's senior. Tom had two sisters, Mary Ann and Jeanette, a half-sister Lizzie and a half-brother Johnny.

Virtually nothing is known of Tom's early life, or what kindled his interest in photography, an unlikely occupation for a young man of his background. He had no formal photographic training, yet by the time he had reached his early twenties he was confident enough of his own ability to advertise his services as a professional photographer. In 1897, he married Louise Alice Paquier, a Swiss/French governess employed by the Gower family of Castle Malgwyn. The couple settled in the nearby small-holding of Aberdyfan and Tom combined his career as a photographer with running the family farm.

They had two children, Frances Mattilda (Tilla), born in 1898 and James Henry born in 1902. Tilla eventually married and she and her husband settled in Cilgerran. She died at New Quay, Dyfed, in 1990 at the ripe old age of 91. She had one daughter, Nesta, now living in San Antonio, Texas. James Mathias never married and remained in the family home until his death. Tom Mathias himself died in 1940, aged 73 and is buried at Llwyn Adda Chapel, Llechryd. His wife survived him by over a quarter of a century and died in 1966 at the age of 93.

It is clear that Tom Mathias was an exceptionally gifted individual who had a wide range of interests, several of which are reflected in his photographs. He was a keen naturalist with a sound knowledge of the local flora and fauna. He was also an enthusiastic amateur astronomer and must have been one of the very few people in the area who owned an astronomical telescope. At a more practical level, he was a noted horticulturalist who is credited with improving several local varieties of apples. Finally, he was also a beekeeper of some renown. In his latter years he took up painting

Ymddengys iddo gael gyrfa lwyddiannus rhwng yr 1880au diweddar a'r 1920au cynnar. Fel y mwyafrif o ffotograffwyr ei oes enillai gyfran helaeth o'i fywoliaeth trwy dynnu lluniau pobl a chofnodi achlysuron pwysig ym mywyd teuluoedd yr ardal. Y mae'r casgliad yn frith o luniau priodasau, bedyddiadau a grwpiau teuluol, ac atgynhyrchir cyfran fach ohonynt yn y llyfr hwn. Bu ar ei ennill hefyd o weithio i'r 'gwŷr mawr' lleol, megis teulu Gower o Gastell Malgwyn, teulu Morgan-Richardson o Gilrhue a theulu Colby o Ffynone. Yn ddiddorol iawn, y mae'r casgliad yn cynnwys nifer o luniau o dai'r boneddigion a'u gweithwyr yn ogystal â lluniau o'r teuluoedd eu hunain. Yn wir, yn ei waith cawn gipolwg ar fywyd y gwas yn ogystal ag eiddo'r meistr.

Er hynny, prin yw gwerth masnachol cyfran helaeth o luniau Tom Mathias, ac ymddengys iddynt gael eu tynnu o ran diddordeb a phleser i'r ffotograffydd yn bennaf. Yn wir, y mae amryw o'r lluniau gorau yn y casgliad yn perthyn i'r dosbarth hwn. Maent yn portreadu bywyd bob dydd trigolion Cilgerran ac yn cofnodi digwyddiadau nodedig y fro. Bryd hynny roedd Cilgerran yn ganolfan brysur a diddorol i'r ffotograffydd, lle tra gwahanol i'r pentref tawel a chysglyd yr adwaenwn ni heddiw. Ar droad y ganrif roedd y pentref yn ganolfan ddiwydiannol bwysig ac yn y cyffiniau roedd dwsin neu fwy o chwareli llechi yn cyflogi llawer o weithwyr. Awgryma'r lluniau fod gan Tom Mathias gryn ddiddordeb yng nghrefft y chwarelwr a thynnodd rai o'i luniau mwyaf trawiadol yn y chwareli. Roedd Cilgerran hefyd yn ganolfan bysgota bwysig ac arferai nifer mawr o gyryglwyr ennill eu bywoliaeth wrth ddal eogiaid yn afon Teifi. Er bod gwneud a thrin cyryglau yn rhan hanfodol o fywyd y pentref, prin iawn yw'r lluniau ohonynt a geir yn y casgliad. O gofio diddordeb mawr Tom Mathias ym mhopeth o'i gwmpas mae'n dra thebyg i ragor gael eu tynnu ond iddynt fynd ar goll. Rhaid cofio mai cynnyrch hap a damwain yw'r casgliad sydd gennym heddiw.

Mae'n syndod hefyd nad oes lluniau o gastell enwog Cilgerran ymhlith y casgliad. Er y ddeunawfed ganrif bu Cilgerran yn gyrchfan pwysig i'r boneddigion a fyddai ar daith drwy Gymru. Bu

hefyd yn atyniad i artistiaid ers canrifoedd. O gofio felly mai'r castell oedd y prif atyniad i dwristiaid yn y pentref, y mae'n anodd credu i Mathias beidio â thynnu'r un llun ohono. Yn wir, mae ei luniau o ferched mewn 'gwisg Gymreig' yn awgrymu ei fod yn wirioneddol awyddus iawn i elwa ar farchnad y cardiau post. Felly, ni fedrwn ond dyfalu sut y byddai ffotograffydd o ddawn a dychymyg Tom Mathias wedi ymdrin â golygfa mor amlwg ddarluniadol â chastell Cilgerran.

Yn dilyn marwolaeth Tom Mathias yn 1940 cafodd ei negyddion eu gosod yn un o adeiladau fferm yn Aberdyfan lle buont yn llechu nes gwerthu'r tŷ yn dilyn marwolaeth ei fab James Mathias yn y 1970au cynnar. O hynny ymlaen chwaraeodd ffawd ran flaenllaw yn y stori. Digwyddodd y perchennog newydd, a wyddai am ddiddordeb Maxi Davis mewn hen luniau, sôn wrtho am y negyddion. Pan aeth Maxi ati i archwilio'r casgliad gwelodd fod y negyddion mewn cyflwr dychrynllyd. Roedd llawer wedi torri, eraill wedi eu niweidio'n rhy ddrwg i'w hachub a'r gweddill wedi dirywio'n ddifrifol. Fodd bynnag, roedd Maxi Davis yn ymwybodol iawn o bwysigrwydd y casgliad, a phenderfynodd ymgymryd â'r gwaith o ddiogelu'r hyn a fedrai.

James Maxwell (Maxi) Davis (1921-90)

Ganwyd Maxi Davis yn Retford, swydd Nottingham, yn 1921 a symudodd i Ddyfed yn 1953 pan benodwyd ef yn Brif Ffotograffydd yng ngorsaf y Llu Awyr yn Aber-porth. Ymgartrefodd ym mhentref Aber-cuch heb fod nepell o Bont-rhyd-y-ceirt, cartref Tom Mathias. Daeth yn aelod blaenllaw o'r gymdeithas leol ac am gyfnod bu'n cynrychioli Ward Cilgerran ar Gyngor Dosbarth Preseli.

Wedi iddo ymddeol yn 1980 dechreuodd o ddifrif ar y gwaith o achub negyddion Tom Mathias. Roedd glanhau'r negyddion a'u gwneud yn sefydlog yn broses fanwl ac araf. Yna, roedd y gwaith o'u

which provided him with an ideal outlet for the artistic skills which he had earlier displayed in his photographs.

Tom was also a deeply religious man and was a lifelong member at Llwyn Adda Calvinistic Methodist Chapel, Llechryd. He was a Sunday School teacher for many years and had a great affinity with children. His grand-daughter, Nesta, recalls him fondly in her letters and tells of his infinite patience towards her when she was a child.

Tom Mathias's photographic career flourished between the late 1880s and the early 1920s. Like most photographers of his day, he made his livelihood from portraiture and the recording of important family occasions. The collection abounds with photographs of weddings, christenings and family groups, a small selection of which are reproduced in this book. The local gentry families, for which the Teifi valley was famed, also proved to be a fruitful source of income for Mathias. Families such as the Gowers of Castle Malgwyn, the Morgan Richardsons of Cilrhue and the Colbys of Ffynone feature prominently in the collection. Interestingly enough, much of his work for the gentry was not confined to portraits of family members, but also included photographs of their homes, their leisure interests and their servants. Tom Mathias's camera captured life below as well as above stairs.

A significant proportion of the photographs in the collection, however, have no obvious commercial motive and appear to have been taken purely for the photographer's pleasure. Indeed, some of his best photographs fall into this particular category and they portray everyday scenes in the Cilgerran area. Cilgerran in Tom Mathias's day was extremely fertile ground for the documentary photographer. Far from being a quiet village, it was a thriving industrial and commercial centre. During the late nineteenth century, over a dozen slate quarries operated in the neighbourhood providing employment for hundreds of men. Mathias was clearly fascinated by the quarryman's work, and some of his most striking photographs are of the quarries. Cilgerran was also an important salmon fishery and was one of the main centres of coracle fishing in Wales. These small wicker-work boats must have been a familiar sight in the village and a number of coracle makers are known to have lived in the neighbourhood. Surprisingly, however, relatively few photographs of coracles appear in the collection. Given Tom Mathias's interest in everything around him, it is likely that photographs of coracle fishermen were taken but that the negatives have subsequently been lost.

Another surprising omission is the absence of photographs depicting Cilgerran's thirteenth-century castle ruins, majestically located high above the river Teifi. Ever since the eighteenth century, the castle had been an essential stop for wealthy folk making a grand tour of Wales and a magnet for artists and the romantically-minded. Given that the castle was the basis of Cilgerran's thriving tourist industry, it is inconceivable that Mathias did not photograph the ruins, especially since his 'Welsh Lady' photographs clearly suggest that he was intent upon breaking into the souvenir postcard market. In the circumstances, we can only speculate as to what a photographer of Mathias's imagination and skill could have made of such a picturesque subject.

Following Tom Mathias's death in 1940 all his negatives were dumped in an outhouse at Aberdyfan where they remained until the house was sold, following the death of his son James Mathias in the early 1970s. Their survival and ultimate discovery was then the result of a series of fortunate coincidences. The new owners of Aberdyfan happened to mention the existence of negatives to Maxi Davis because they were aware of his interest in photography. When Maxi first saw the collection the negatives were in very poor condition having been neglected for over thirty years. Many had broken, others had been damaged beyond repair and most of the remainder were very badly degraded. Enough had survived, however, for Maxi Davis to appreciate the importance of what he had found and to set about the task of their restoration.

paratoi ar gyfer eu printio yr un mor araf ac nid ar chwarae bach y ceid lluniau derbyniol ohonynt. Ymhen amser, fodd bynnag, llwyddodd i gael lluniau rhyfeddol o glir. Y mae detholiad o'r lluniau sydd heb fod mor glir hefyd wedi eu cynnwys yn y llyfr hwn er mwyn dangos maint y dasg a wynebai Maxi Davis. Gwelir iddo lwyddo'n eithriadol o dda.

Pur anaml y ceir casgliad o luniau hanesyddol, megis y rhai o eiddo Tom Mathias, sydd wedi cael eu cofnodi'n fanwl. I Peggy Davis, gwraig Maxi, y mae'r diolch am hyn yn bennaf. Bu wrthi'n ddyfal am flynyddoedd yn holi'r bobl leol ac yn cofnodi pob manylyn a fedrai am gynnwys y lluniau. Dangoswyd y casgliad i'r cyhoedd am y tro cyntaf yn Neuadd·y Pentref, Cilgerran, yn 1984. Yn dilyn hynny, cynhaliwyd nifer o arddangosfeydd cyffelyb yn y pentrefi cyfagos. Yn sgil cynnal y digwyddiadau hyn daeth llawer o wybodaeth am y lluniau i law. Yn ogystal cyhoeddwyd amryw o'r lluniau yn y *Cardigan & Tivyside Advertiser* a bu hynny'n ddull effeithiol arall o gasglu gwybodaeth ychwanegol. O ganlyniad i'r holl waith dyfal, llwyddwyd i adnabod y mwyafrif helaeth o'r lluniau ac i enwi bron pob person sydd yn ymddangos ynddynt. Y cyfoeth gwybodaeth hwn sydd yn gwneud y casgliad mor werthfawr i'r hanesydd a'r lleygwr fel ei gilydd.

*   *   *

Arbenigrwydd y casgliad, yn anad dim arall, yw gallu anhygoel Tom Mathias fel ffotograffydd.

Dengys ei waith fod ganddo lygad craff i gofnodi yn ogystal â'r gallu technegol i dynnu llun. O gofio mai offer cyntefig a feddai, mae ansawdd ei luniau yn eithriadol o glir ac yn rhagori ar luniau amryw o ffotograffwyr mwy adnabyddus a allai fanteisio ar ddefnyddio offer llawer mwy soffistigedig. Hyd yn oed yn y maes cyfyng o dynnu lluniau pobl, y mae ei wreiddioldeb yn rhyfeddol. Medrai oresgyn sefyllfa artiffisial a chyfleu personoliaeth a chymeriad yr unigolyn. Efallai fod y ffaith na fu erioed yn berchen ar stiwdio wedi bod yn fantais fawr iddo. Ei unig ddewis oedd gweithio yn yr awyr agored lle'r oedd yn rhaid iddo feddwl yn ddwys am y cefndir yn ogystal â threfnu'r llun. O ganlyniad mae llawer mwy o fywyd yn ei luniau ef o'u cymharu â rhai a dynnwyd gan eraill mewn stiwdio. Yn ôl y rheiny a'i adnabu roedd Tom Mathias yn ddyn diarhebol o amyneddgar. Gwelir hyn yn amlwg o graffu ar ei luniau gwych o blant.

Yr hyn sydd yn ymdreiddio drwy holl luniau Tom Mathias yw ei gariad tuag at bobl a'i gydymdeimlad â'i gymdogion a phobl ei fro. Cyflwynodd i ni ddarlun amhrisiadwy o fywyd a gwaith y werin bobl mewn un ardal fechan yng Nghymru ar droad yr ugeinfed ganrif. Hyderir y bydd y llyfr hwn yn deyrnged deilwng i'w dalent unigryw ac y bydd yn gyfrwng i dynnu sylw at ei waith. Yn ddiamau, y mae'r lluniau yn haeddu cael eu gwerthfawrogi gan gynulleidfa eang iawn.

James Maxwell (Maxi) Davis (1921-90)

Maxi Davis was born in Retford, Nottinghamshire, in 1921 and moved to west Wales in 1953 when he was appointed Chief Photographer at the Royal Aircraft Establishment at Aber-porth. He made his home at Aber-cuch near Cilgerran and became a prominent member of the local community. Indeed, he represented the local ward on the Preseli District Council for a number of years.

It was not until his retirement in 1980 that Maxi Davis began the daunting task of salvaging the Mathias collection. Cleaning and stabilizing the glass negatives was an extremely painstaking and time-consuming process. Once the negatives had

James Maxwell (Maxi) Davis (1921-90)

been prepared, printing was an equally slow process. Each negative had to be printed by hand and several attempts were often necessary in order to produce an acceptable print. Fortunately, the vast majority of the negatives processed ultimately provided remarkably clear images. A few of the less well-preserved negatives have also been printed in this book to show the magnitude of the task which Davis faced and to demonstrate the remarkable degree of success which he achieved.

Unusually for historic photographs the Mathias collection is extremely well-documented. This is largely thanks to the efforts of Maxi Davis's wife, Peggy, who spent several years recording the collection in the minutest detail. The first public exhibition of the photographs was held at Cilgerran Village Hall in 1984 and over the following few years a number of similar exhibitions were held in neighbouring towns and villages. As a result of these public showings the majority of the photographs in the collection were identified. Particularly obscure photographs were published in the local paper, *The Cardigan & Tivyside Advertiser* and this proved to be an extremely effective method of eliciting information. As a result of this hard work almost every photograph in the collection has now been located and dated, and virtually every person identified. It is this wealth of detailed information which makes the photographs particularly valuable for the social historian.

*   *   *

Above all, the collection is a tribute to Tom Mathias's qualities as a photographer. His photographs demonstrate a keeness of eye and a technical clarity seldom achieved by better-known photographers using far more sophisticated equipment. Even in the very restrictive genre of portraiture and family photographs he demonstrates an originality of approach which frequently enabled him to overcome the artificiality of the situation, and to capture the humanity and personality of his subjects. In this he was undoubtedly helped by the fact that he never owned a studio and most of his photographs had to

be taken out of doors. He was compelled to arrange his shots very carefully, giving due consideration to the background of each photograph, and was never in a position to produce the stereotyped photographs of many studio-based photographers. According to those who knew him, Tom Mathias exercised infinite patience in setting up his shots and nowhere is this patience better rewarded than in his splendidly informal photographs of children with whom he had a special rapport.

What pervades all of Mathias's photographs is his love of people and his empathy with those who lived around him. Whether by chance or design he provided us with an unequalled record of the life and work of the ordinary people of one small part of Wales at the turn of the century. It is to be hoped that this book is a fitting tribute to his remarkable talent and will serve to bring his photographs to the attention of a wider public, and provide him with the recognition his work so richly deserves.

Tom Mathias gyda'i wraig Alice Louise a'i nith Helen Baud.

Tom Mathias with his wife Alice Louise (*née* Paquier) and her niece Helen Baud.

Aberdyfan, Pont-rhyd-y-ceirt, cartref Tom Mathias. Dyma lle daethpwyd o hyd i'r negyddion yn dilyn marwolaeth James Mathias.

Aberdyfan, Pont-rhyd-y-ceirt, the Mathias family home. It was here that the negatives of Tom Mathias's photographs were discovered thirty years after his death.

Tom Mathias a'i blant, Tilla (g. 1898) a James (g. 1902).
Gwelir rhai o gychod gwenyn Tom yn y cefndir.

Tom Mathias with his children, Tilla (b. 1898) and James
(b. 1902). Tom was a keen beekeeper and some hives can
be seen in the background.

James Mathias yn bwydo robin goch.

James Mathias feeding a robin.

Tilla Mathias

Helen Baud, nith i Tom. Roedd Helen a'i chwaer Paulette yn ymwelwyr cyson ag Aberdyfan ac fe'u gwelir yn amryw o'r lluniau.

Tom's niece, Helen Baud. Helen and her sister Paulette were frequent visitors to Aberdyfan and feature in several of the photographs.

Tom yn ei berllan. Yn ôl traddodiad bu'n gyfrifol am wella ansawdd mathau lleol o goed afalau.

Tom examining one of the apple trees in his orchard. He is credited with improving the keeping qualities of some local varieties of apple.

Tom Mathias yn dal cudyll glas. Ystyrid Tom yn arbenigwr ar fywyd gwyllt yr ardal.

Tom Mathias holding a sparrow hawk. Tom was renowned locally for his knowledge of natural history.

Dosbarth Ysgol Sul yng Nghapel Llwyn Adda, Llechryd. Bu Tom (dde) yn athro yno am flynyddoedd lawer. Margaret Ann Thomas yw'r athrawes.

A Sunday School class at Llwyn Adda Calvinistic Methodist Chapel, Llechryd. Tom Mathias (on the right) was a lifelong member of the chapel and a Sunday School teacher for many years. The other teacher is Margaret Ann Thomas.

Llun cynnar o Tom Mathias wrthi'n cneifio.

An early photograph of Tom Mathias hard at work, shearing.

Mrs Mathias (chwith) a Tilla yn cario bwyd i'r cae gwair, 1913. Gwelir cymydog iddynt, Thomas John George, Penwern-ddu, yn hogi cyllell lladd gwair, a James Mathias yn eistedd nesaf ato.

Mrs Mathias (left) and Tilla carrying food for the haymakers at Aberdyfan, 1913. A neighbour, Thomas John George, Penwern-ddu, is sharpening a mowing-machine knife in the foreground, with James Mathias seated beside him.

Gwelir enghraifft o ddyfeisgarwch Tom Mathias yn y llun hwn, sef lorri wedi ei haddasu ar gyfer gwaith fferm. James Mathias yw'r gyrrwr a'i dad sy'n eistedd ar y peiriant lladd gwair.

Tom Mathias's creative imagination is amply demonstrated here by his conversion of this lorry for use as a tractor. The driver is James Mathias whilst his father is seated on the mower.

Yr un lorri yn cario gwair. Gwelir James a'i fam yn eistedd yng nghwmni Paulette Baud, sydd ar ben y llwyth.

The same converted lorry being used to carry hay. James and his mother are seated, with Paulette Baud standing on the load.

James yn adeiladu sied.   James hard at work making a garden shed.

Cynaeafu gwair yn Aberdyfan, tua 1910. Rhaid oedd wrth nifer mawr o weithwyr i gario gwair hyd yn oed ar ddyddyn bychan fel Aberdyfan. Sylwer ar y pawl at godi gwair o'r llwyth i'r das.

A haymaking scene at Aberdyfan, c.1910. A large number of people were required for the harvest even on a smallholding like Aberdyfan. Note the use of a pitching pole to lift the hay from the carts onto the stack.

Ennill bywoliaeth

Enillai Tom gyfran helaeth o'i fywoliaeth drwy dynnu lluniau o bobl leol. Yma cyhoeddir detholiad o'r degau o luniau o'r math hwn sydd yn y casgliad. Tynnwyd y lluniau i gyd yng nghartrefi'r cwsmeriaid gan nad oedd Tom yn berchen ar stiwdio.

Earning a living

Tom Mathias made his living by taking photographs of local people. This is a small selection of the dozens of such photographs which appear in the collection. As these photographs show, Tom never owned a studio and all his photographs were taken at his clients' homes.

Evan Peter Morgan, Stryd yr Eglwys, Cilgerran, gyda'i wraig Elizabeth a'u mab David tra oedd gartref o'r fyddin adeg y Rhyfel Fawr (1914-18).

Evan Peter Morgan of Church Street, Cilgerran, photographed with his wife Elizabeth Jane and son David whilst he was home on leave during the First World War (1914-18).

13

Tair gwraig leol yn gyrru poni a thrap, 1916.   Three local women photographed in a pony and trap, 1916.

Tair cenhedlaeth o deulu
o Gilgerran.

Three generations of a
Cilgerran family.

James Mathias (dim perthynas) a'i deulu, tua 1910. Lladdwyd Morgan Mathias, y gŵr ifanc yn y llun, yn ddiweddarach yn y Rhyfel Fawr.

James Mathias (no relation) taken with his family c.1910. Morgan Mathias, the young man shown in the photograph, was later killed in the First World War.

Mrs Ann Williams, 1910.

Merch anhysbys yn magu baban mewn siôl fawr.

An unidentified girl carrying a baby in a shawl 'Welsh fashion'.

Richard Morris, Cefn Lodge, Cilgerran, ar gefn ei geffyl 'White Bud'.

Richard Morris of Cefn Lodge, Cilgerran. Such was the thoroughness of Peggy Davis's documentation that we know the horse to be 'White Bud'.

18

Miss Olivia Griffiths, Neuadd, Cilgerran, wedi iddi raddio o Goleg Prifysgol Cymru, Aberystwyth, yn 1910 gyda gradd anrhydedd yn y dosbarth cyntaf mewn Almaeneg.

Miss Olivia Griffiths, Neuadd, Cilgerran, shortly after her graduation with first class honours in German from the University College of Wales, Aberystwyth, 1910.

Pedair cenhedlaeth o deulu
Davies, Banc-y-felin, Llechryd,
1913.

Four generations of the Davies
family of Banc-y-felin,
Llechryd, 1913.

Maggie Thomas, Plas-y-berllan,
Llechryd, yn gwisgo lifrai'r
geidiau, 1925.

Girl Guide patrol leader,
Maggie Thomas, Plas-y-berllan,
Llechryd, 1925.

Plant

Amlygir amynedd Tom Mathias fel ffotograffydd yn ei luniau gwych o blant. Yma gwelir Teifryn Thomas, mab postfeistr Llechryd, ar ei feic newydd.

Children

Tom Mathias's patience as a photographer is displayed at its best in his pictures of children. This is Teifryn Thomas, the son of Llechryd's postmaster, proudly showing off his new tricycle.

Hugh a Myrddin Jones, Cilfowyr, yn cywain gwair.

The brothers Hugh and Myrddin Jones, Cilfowyr, loading hay onto a donkey cart.

Nesta, wyres Tom Mathias, yn chwarae â'i theganau.

Tom's grand-daughter Nesta playing with her toys.

Bachgen yn dal cribin plentyn.

Boy holding a child's hay rake.

Mynd am dro mewn cart asyn.   A ride in a donkey cart.

Dosbarth Ysgol Sul y gwragedd, Capel Babell, Cilgerran, 1906.

A ladies' Sunday School class, Babell Chapel, Cilgerran, 1906.

Gwibdaith flynyddol Ysgol Sul Penuel i Poppit, 1913.

Penuel Baptist Chapel's annual Sunday School outing to Poppit Sands, 1913.

Côr Plant Cilgerran a'u harweinydd, Johnny Michael.   Cilgerran Children's Choir with conductor Johnny Michael.

Dosbarth Ysgol Sul o flaen Tŷ Glanolmarch, Llechryd, gyda'r perchennog, Mrs. Stephens.

A Sunday School class at Glanolmarch House, Llechryd, with the owner, Mrs. Stephens.

Plant Ysgol Blaen-ffos, 1915. Y mae'r 'wisg Gymreig' yn awgrymu bod y llun wedi ei dynnu ar Ddydd Gŵyl Ddewi. Gwelir y geiriau 'Hen Wlad fy Nhadau' ar y bwrdd du yn y ffenestr.

The children of Blaen-ffos School, 1915. The patriotic garb suggest that the photograph was taken on St. David's Day. The title of the Welsh national anthem, 'Land of My Fathers', is written on the blackboard in the window.

Merched Ysgol Sul Llwyn Adda mewn 'gwisg Gymreig'.

The ladies of Llwyn Adda Chapel Sunday School sporting their 'Welsh costumes'.

'Y Wisg Gymreig'

Tua diwedd y ganrif ddiwethaf, daeth yn ffasiynol i gyhoeddi cardiau post o ferched mewn 'gwisg Gymreig'. Fel rheol, dangosid y merched yn gwau, yn mynd i'r farchnad, neu'n yfed te. Mae'n debyg mai ymgais Tom Mathias i elwa ar y farchnad gardiau oedd y lluniau hyn.

'Welsh Ladies'

Towards the end of the nineteenth century it became fashionable to publish postcards of women in 'traditional' Welsh costume. The most popular scenes were of women knitting, going to market or having tea. The next three photographs possibly illustrate Tom Mathias's attempt to break into this lucrative market.

'Y Gwŷr Mawr'

Roedd glannau Teifi yn enwog am ei 'gwŷr mawr' ac mewn ardal o lai nag ugain milltir sgwâr ceid bron i hanner cant o blastai. Bu'r teuluoedd hyn yn noddwyr cyson i Tom Mathias.

The Gentry

The area known as Tivyside, i.e. the Teifi valley between Llandysul and the sea at Cardigan, a distance of less than twenty miles, was famous for its gentry houses. The local gentry families were regular patrons of Tom Mathias.

Miss Rita Morgan Richardson,
Rhos-y-gilwen, Cilgerran.

Castell Malgwyn, Llechryd, cartref teulu Gower. Mae'r plas yn westy erbyn hyn.

Castle Malgwyn, Llechryd, home of the Gower family. The house is now a hotel.

Mrs Lewis-Bowen, Clyn-fiw, Boncath (ar y dde), a'i phlant, Dorothea a William, yng nghwmni nyrs ac athrawes y teulu. Rita Morgan Richardson yw'r ferch ifanc ar y chwith.

Mrs Lewis-Bowen of Clyn-fiw, Boncath (on right), with her children, Dorothea and William, and the family's nurse and governess. The young girl on the left is Rita Morgan Richardson.

Llun diweddarach o deulu Lewis-Bowen.

A later photograph of the Lewis-Bowens.

C. E. G. Morgan Richardson, Rhos-y-gilwen, ymhlith ei fuches enwog o wartheg byrgorn.

C. E. G. Morgan Richardson of Rhos-y-gilwen, standing amongst his prize herd of Shorthorn cattle.

Buches Rhos-y-gilwen o flaen y plas.

The Rhos-y-gilwen herd proudly displayed in front of the house.

Mrs Morgan Richardson y tu allan i Noyaddwilym, Llechryd. Yn ddiweddarach symudodd y teulu i fyw i Ros-y-gilwen.

Mrs Morgan Richardson outside Noyaddwilym, Llechryd. The family later moved to Rhos-y-gilwen.

Miss Rita Morgan Richardson a'i hathrawes o'r Almaen a'i chŵn anghyffredin.

Miss Rita Morgan Richardson with her German governess and exotic dogs.

Rita Morgan Richardson a'i brawd yn ymladd â chleddyfau, gyda Dr. Stephens, Glanolmarch, yn eu gwylio.

Rita Morgan Richardson fencing with her brother whilst Dr. Stephens, Glanolmarch, looks on.

Spence Colby, Ffynone, a helgwn Teifiseid. Dilyn cŵn hela oedd un o brif ddiddordebau'r boneddigion lleol.

The Tivyside Hunt was the focus of the gentry's social life. The hunt, one of the oldest in Wales, is seen here with the master, Spence Colby of Ffynone.

Priodas Miss Grace Gower, Castell Malgwyn, â'r
Llawfeddyg Gill R.N. yn Eglwys Sain Llawddog,
Cilgerran, 8 Awst 1907.

The wedding of Miss Grace Gower of Castle Malgwyn,
and Staff Surgeon Gill R.N. at St Llawddog Church,
Cilgerran, 8 August 1907.

Cerbydwr a 'theithiwr' tra anarferol o flaen plasty Castell
Malgwyn, adeg Calan Gaeaf yn ôl pob tebyg.

A coachman with an 'unusual' passenger outside Castle
Malgwyn, presumably at Halloween.

Lodge, Castle Malgwyn.

Pan oedd y plastai lleol yn eu hanterth cyflogid nifer mawr o bobl i weithio ynddynt. Yma, gwelir staff stad Coedmor yn 1909.

In their heyday the gentry houses provided employment for large numbers of people. This is the staff of the Coedmore estate taken in 1909.

Staff Plas Coedmor ar glos y gegin.

The domestic servants in the kitchen courtyard at Coedmore.

Staff Coedmor yn eu lifrai. Sylwer bod nifer ohonynt yn dal yr offer a ddefnyddient yn ôl eu galwedigaeth.

The Coedmore staff in their uniforms. Note how many display the tools of their trade.

Gweision a morynion anhysbys. An unidentified group of domestic servants.

Pentre, Boncath, 1910.

Thomas Daniel, garddwr Glanolmarch, Llechryd.   Thomas Daniel, the gardener at Glanolmarch, Llechryd.

Thomas Daniel a'i feic.   Thomas Daniel posing with his bicycle.

Staff Clyn-fiw, 1906.

The staff at Clyn-fiw, 1906.

Cipar anhysbys a'i deulu.

An unidentified gamekeeper with his family.

Y Fro

Ceir nifer o luniau yn y casgliad sydd yn portreadu golygfeydd lleol ac yn cofnodi digwyddiadau anarferol a nodedig y fro.

The Locality

A number of the photographs in the collection feature local views and record important or unusual events in the district.

Edrych ar draws afon Teifi tuag at y Tivy-side Inn, Llechryd. Y mae'r dafarn wedi cau ers blynyddoedd bellach.

Looking across the river Teifi at Llechryd towards the Tivy-side Inn. The tavern has long since closed.

Yr un olygfa ar adeg o lifogydd, tua 1910.   The same view at the time of flooding, *c*.1910.

Awgryma'r nifer o luniau tai sydd yn y casgliad fod yna farchnad barod ar eu cyfer. Fernhill, Llechryd, a welir yn y llun hwn.

The number of photographs of houses in the collection suggest that there was a lucrative market for them. This is Fernhill, Llechryd.

Onnen-deg, Llechryd.

Rhes o fythynnod i weithwyr yn Lancych, sydd mewn cyferbyniad llwyr â'r plastai.

A row of labourers' cottages at Lancych. They stand in marked contrast to the gentry houses.

Atgyweirio clochdy Eglwys
Llandygwydd.

Repairing the spire of
Llandygwydd Church.

Stryd Fawr, Cilgerran, yn 1905 a 1910.

Views of the High Street, Cilgerran, taken in 1905 and 1910, respectively.

Bridge House, Cilgerran, 1910. Gwelir Miss Kathryn Davies ar y trothwy tra bod ei brawd yn eistedd ar wal y bont (sydd wedi ei dymchwel erbyn hyn). Gwau hosanau oedd gwaith Kathryn Davies a gwelir llun arall ohoni ar dudalen 90.

Bridge House, Cilgerran, 1910. The occupant, Miss Kathryn Davies, is standing in the doorway whilst her brother sits on the parapet of the railway bridge (since demolished). Kathryn Davies was a stocking-knitter whose photograph also appears on page 90.

Pantdŵr, Llechryd, *c.* 1900.

Atgyweirio pont Pont-rhyd-y-ceirt, 1920. Saif Johnny Michael, arweinydd Côr Plant Cilgerran, ar y chwith gyda'i blant Teifryn a Tegwen.

Repairing the bridge at Pont-rhyd-y-ceirt, 1920. Johnny Michael, the conductor of Cilgerran Children's Choir, can be seen standing on the left with his children, Teifryn and Tegwen.

Atgyweirio pont arall, y tro hwn ger Glanarberth, 1912.   Repairing the bridge at Glanarberth in 1912.

Adeiladu pompren ar draws afon Teifi yn Aber-cuch, 1908.

Constructing a new footbridge across the river Teifi at Aber-cuch, 1908.

'Y Goets Fawr', a redai o Gastellnewydd Emlyn i
Aberteifi, o flaen y Tivy-side Inn, Llechryd, yn 1906.

The Newcastle Emlyn to Cardigan stagecoach outside
the Tivy-side Inn, Llechryd, in 1906.

Pentrefwyr yn sglefrio ar afon Teifi yn ystod gaeaf caled 1891.

Villagers skating on the frozen river Teifi during the cold winter of 1891.

67

Sglefrio ar y gamlas a gysylltai afon Teifi â hen waith tun
Castell Malgwyn.

Skating on the old canal connecting the river Teifi and
the now abandoned Castle Malgwyn tinworks.

Seindorf Corfflu Gwirfoddolwyr Aberteifi o flaen gorsaf
Cilgerran ar achlysur croesawu'r Is-gapten Colby,
Ffynone, adref o Ryfel y Boer, tua 1902.

The Band of the Cardigan Volunteer Corps waiting at
Cilgerran station to welcome Lt. Colby of Ffynone home
from the Boer War, c.1902.

Y seindorf yn gorymdeithio ar hyd Stryd Fawr Cilgerran yng nghwmni 'Bois y Batri' (aelodau Cefnlu'r Llynges, Aberteifi).

The band marching down Cilgerran High Street accompanied by members of the Cardigan Naval Reserve.

Plismyn o siroedd Penfro, Caerfyrddin a Morgannwg ar
eu ffordd i sir Aberteifi i gefnogi Heddlu sir Aberteifi adeg
Helynt y Degwm, 1888-94.

A convoy of policemen from Pembrokeshire,
Carmarthenshire and Glamorgan on their way to
Cardiganshire to assist the local constabulary during the
anti-tithe agitation which broke out in the county
between 1888-94.

Penrhiw Arms, Aber-cuch, 1914. Gwelir y tafarnwr, David Owens, a'i wraig Elizabeth, ar y grisiau. Dymchwelwyd y dafarn fel rhan o gynllun gwella'r ffordd.

Penrhiw Arms, Aber-cuch, 1914. The landlord, David Owens, and his wife Elizabeth, can be seen standing on the steps. The building has since been demolished as part of a road-widening scheme.

David Wilson yn gwerthu
pysgod yn 1905. Collodd ei
goes yn ystod y Rhyfel Fawr
a defnyddiodd yr iawndal a
dderbyniodd i ddechrau busnes
yn Stryd y Bont, Aberteifi.
O ganlyniad, fe'i llysenwyd yn
'Lucky Leg Wilson'.

David Wilson, fishmonger's
delivery boy photographed in
1905. He was later to lose a leg
in combat in the First
World War. He used his
compensation to establish
his own business in
Bridge Street, Cardigan,
thereby earning himself the
nickname 'Lucky Leg Wilson'.

Fan cigydd, 1910.   Butcher's delivery van, 1910.

Fan fara a'r gyrrwr Willie Davies, 1910.　　　　　Baker's van with delivery boy, Willie Davies, 1910.

Siop Penrhiw, Aber-cuch. Gwelir y perchennog, W. J. Lewis, yn gwisgo ffedog wen.

Penrhiw Supply Stores, Aber-cuch, with owner W. J. Lewis, wearing the white apron.

Diwydiannau a Chrefftau'r Fro

Roedd Cilgerran yn ganolfan bwysig o safbwynt y chwareli llechi o ddiwedd y ddeunawfed ganrif hyd ddechrau'r 1930au. Tynnodd Tom Mathias lawer iawn o luniau o'r chwareli ond, gwaetha'r modd, dim ond cyfran fechan ohonynt sydd yn ddigon da i'w cyhoeddi.

Crafts and Industries

Cilgerran was the centre of a small-scale slate quarrying industry from the late eighteenth century to the early 1930s. Tom Mathias took many photographs of the quarries, but, unfortunately, because of their condition, only a few of them can be reproduced.

Benjamin Michael (chwith) a Benjamin Jenkins wrth eu gwaith.

Quarrymen Benjamin Michael (left) and Benjamin Jenkins at work.

77

Chwarel Dolbadau, 1907.

Dolbadau Quarry, 1907.

Craen ager Chwarel
Fforest, 1910.

A steam crane in operation at
Forest Quarry, 1910.

Chwarelwyr y Cefn.   Quarrymen at work, Cefn Quarry.

Gweithdai Chwarel Cefn. Sylwer ar y pileri llechi wedi eu turnio.

The workshops at Cefn Quarry. Note the turned slate pillars.

Roedd coedwigaeth yn ddiwydiant lleol pwysig arall a gofnodwyd yn fanwl gan Tom Mathias.

Forestry was another important local industry which Tom Mathias diligently recorded.

Cludwyd boncyffion i Felin Goed Cilgerran i'w llifio'n estyll. Yn y ddau lun hyn gwelir y boncyff mwyaf i'w drin yn y felin erioed.

Timber was brought to Cilgerran Sawmill for conversion into planks. These two photographs show the arrival of the largest tree trunk ever to be brought to the sawmill.

Griffith and Thomas Thomas, hwperiaid lleol, gyda'r baban, Johnny Michael Thomas, 1892.

Local coopers Griffith and Thomas Thomas, with baby, Johnny Michael Thomas, taken in 1892.

Ychydig iawn o luniau o gyryglau a achubwyd. Yma gwelir William Griffiths o Lechryd yn cwblhau ffrâm corwgl, gyda'i blant, Moses a Sarah, yn ei wylio, 1916.

So few coracle photographs have survived that this one has been included despite its poor quality. It shows William Griffiths of Llechryd finishing off the frame of a Teifi coracle whilst his children, Moses and Sarah, look on, 1916.

William Johnson a John Morgan, cyryglwyr o Gilgerran, 1905.

Cilgerran coracle-men William Johnson and John Morgan with their haul, 1905.

Hannah Davies a'i merch Elizabeth, dwy gwiltwraig.

Mother and daughter Hannah and Elizabeth Davies, the local quilters.

Kathryn Davies yn defnyddio peiriant gwau hosanau.   Kathryn Davies operating a stocking-making machine.

Ffermio

Ac yntau yn dyddynnwr, cymerai Tom Mathias gryn ddiddordeb mewn amaethyddiaeth ac yn arbennig mewn peiriannau a thechnoleg newydd. Cofnododd lawer ohonynt.

Farming

As a small-holder himself, Tom Mathias took a keen interest in agricultural matters. As might have been expected from someone with an enquiring, scientific mind he was particularly attracted by advances in agricultural technology.

Un o'r tractorau a'r beindarau cynharaf i'w gweld yn yr ardal yn cael eu defnyddio ar Fferm Castell Malgwyn.

One of the first tractors and corn binders in the district in use at Castle Malgwyn Home Farm.

Fferm Parcyneithw. Mr a Mrs Griffith Davies a'u saith merch—Sarah, Margaret, Edith, Ellen, Elizabeth, May a Catherine—eu mab Ifan (ar y dde) ac Alfred, y gwas.

Parcyneithw Farm. Mr Griffith Davies standing in the yard with his wife, seven daughters—Sarah, Margaret, Edith, Ellen, Elizabeth, May and Catherine—their son Ifan (right) and servant Alfred.

Dyfeisiwyd y peiriant troi gwair cywrain hwn gan ffermwr lleol, sef Arthur John Davies, Penwenallt. Gwnaethpwyd y peiriant gwreiddiol iddo gan of lleol. Yn anffodus, dechreuodd cwmni o Ddulyn gynhyrchu'r peiriant yn fasnachol cyn i Davies fedru codi breintlythyr arno.

This ingenious manually-operated hay-turning machine was invented by local farmer, Arthur John Davies, Penwenallt. The prototype was made for him by the village blacksmith, but a Dublin firm began manufacturing the machine commercially before Davies could take out a patent.

James Evans yn rhibinio gwair ar Fferm Castell Malgwyn, Llechryd.

James Evans using a side-rake at Castle Malgwyn Home Farm, Llechryd.

Roedd y cynhaeaf gwair yn adeg o gydweithio rhwng cymdogion. Dengys y llun hwn y nifer mawr o bobl a fyddai'n helpu gyda'r gwaith. Byddai'r cynhaeaf yn achlysur cymdeithasol pwysig.

The hay harvest was a time when neighbouring farmers combined together to bring in the crop. Often very large numbers of people came together and it was an important social occasion, as this photograph shows.

Gwasg wair (ffurf gynnar o'r byrnwr) ar waith. Gwelir y 'pletau' gwair yn y cefndir. Diogelwyd y peiriant hwn gan Geler Jones, casglwr hen beiriannau lleol. Prynwyd ei gasgliad yn ddiweddar gan yr Ymddiriedolaeth Genedlaethol i'w arddangos ym Mhlas Llannerch Aeron.

A hay press (an early form of baler) in use. The bound 'bales' can be seen in the background. The original machine found its way into the collection of vintage machinery enthusiast, Geler Jones of Cardigan. Recently his collection has been purchased by the National Trust for display at its property in Llannerch Aeron.

Milwyr yn hel gwair (gweler hefyd dudalen 98). Yn ôl pob tebyg aelodau ydynt o gwmni a deithiai o gwmpas y wlad adeg y Rhyfel Fawr er mwyn casglu porthiant i geffylau'r fyddin. Dengys yr amrywiol fathodynnau ar eu capiau eu bod yn perthyn i sawl catrawd wahanol. Posibilrwydd arall yw mai gwrthwynebwyr cydwybodol ydynt yn ymgymryd â dyletswyddau heddychlon.

Soldiers at work baling hay (see also page 98). It is probable that they are members of a 'Foraging Company' who travelled the country during the Great War obtaining fodder for military horses. The variety of cap badges show that they were drawn from several regiments. It is possible that they might also be conscientious objectors who had been assigned to non-combat duties.

Injan *Fowler* wedi ei llogi gan y fyddin oddi wrth gontractwr amaethyddol lleol, Dan Ladd o Glunderwen (ar y dde i'r llun).

A *Fowler* traction engine on hire to the army from local agricultural contractor, Dan Ladd of Clunderwen (right).

Injan arall yn cael ei defnyddio gan y fyddin.   Unidentified traction engine also in military use.